D0510999

STORYVILLE

Karen Ricard

Storyville

ÉDITIONS DU NOROÎT

Le Noroît souffle où il veut, en partie grâce aux subventions de la Société de déve-loppement des entreprises culturelles du Québec et du Conseil des arts du Canada. Les Éditions du Noroît bénéficient également de l'appui du Programme de crédit d'impôt pour l'édition de livres du gouvernement du Québec (gestion SODEC).

Illustration de la couverture : Cornelius Durkee Collection,
   Louisiana Division, New Orleans Public Library.

Couverture et infographie : Jean Yves Collette

Dépôt légal : premier trimestre 2007
Bibliothèque et Archives nationales du Québec
Bibliothèque nationale du Canada
ISBN : 978-2-89018-613-2

CATALOGAGE AVANT PUBLICATION
   Ricard, Karen
   Storyville   .
   Poèmes.
   ISBN : 978-2-89018-613-2
1. Titre.
PS8585.1125S76 2007   C841'.6   C2007-940206-2
PS9585.1125S76 2007

Distribution en librairie
AU CANADA
Dimedia
539, boulevard Lebeau
Montréal (Québec) H4N 1S2
Courriel : general@dimedia.qc.ca
Téléphone : (514) 336-3941
Télécopieur : (514) 331-3916

EN EUROPE
Librairie du Québec
30, rue Gay-Lussac, 75005 Paris (France)
Téléphone : (01) 43 54 49 02
Télécopieur : (01) 43 54 39 15

Éditions du Noroît
4609, rue d'Iberville
Bureau 202
Montréal (Québec) H2H 2L9
www.lenoroit.com
lenoroit@lenoroit.com
Téléphone : (514) 727-0005
Télécopieur : (514) 723-6660

Imprimé au Québec (Canada)

À la mémoire de ma mère

I. L'HYPOTHÈSE DES SAULES

On ne peut juger de la beauté de la vie que par celle de la mort.

ISIDORE DUCASSE
Poésies

Encore une fois, l'instant se consume, les jours se scindent, le ciel ouvre ses pores. Il faudrait choisir entre l'homme du Labrador et la Marie-Claire de la chanson, mais sans racines ni origines, je lacère les partitions. Au bout des notes, des ombres s'agitent et s'imposent – *se juxtaposent.* Je bercerai mes deuils impossibles jusqu'à ce que la nuit, maîtresse d'alchimie, avale le contour des villes en même temps que les méandres du Mississippi.

Il suffira alors de réinventer les toponymies, de peindre des cartes sans noms, de convoquer les spectres : Jolliett, la Queen Mary des rivières et ses armées de zombies, Joe Leblond et ses hordes de vagabonds moribonds. Sur les ruines de nos chants, un jour, peut-être, nous danserons.

Je n'ai pas connu la ville au temps des héros. Reste aujourd'hui une poignée de rubans magnétiques, quelques photos noyées, trafiquées en cartes postales, et des rues, devenues noires et muettes ; on dirait des veines vidées de leur sang.

Je me couvre d'un voile opaque, la nuit, pour déambuler parmi les ossements, effleurant au passage les locataires d'un temps d'avant le temps. Au loin, vers les quais, renaît le chant d'un Hollandais, un jour envolé : «*Hey New Orleans, they say you've been sold...* »

Une corne de brume. Qui sont les *founding fathers* quand les refrains s'épuisent et qu'Orphée ferme les yeux? Plus tard, après l'écho des guerres, j'irai fouler ces terres où les hommes pleurent au bras des rivières – en mineur, sous l'ivoire, entre deux blanches.

En d'autres temps et d'autres lieux, les mères chantaient sur les balcons, malgré la moiteur écœurante des jours et l'imminence des inondations. Il m'arrive d'invoquer Cleoma, la femme de Falcon; je voudrais qu'elle arrache sa guitare du fond des temps et des marigots pour chanter, au milieu des sanglots, et que se taisent enfin toutes les valses qui m'ont portée en terre.

Je voudrais voir Lafayette poindre au bout de la terre et qu'un ciel sans promesses se pose en lavis sur mes mots portés en tombe, enfin, et que mes yeux se ferment au pays des soleils immenses et des plus beaux balcons.

II. MORT AU QUARTIER

The map is not the territory
ALFRED KORZYBSKI

Tout revient, les tares comme les refrains et l'histoire aux trousses, ces grands hommes qui marchent au pas. Je me lève souvent, la nuit, griffant sur les murs l'hagiographie des saints noirs. Leur chair brûlée, nos trente-six mois, tous chaînes aux pieds. *Mais nos mains libres de peur.* Les perséides survolent le quartier, on attend le vent. Je reprends le *rag* du temps, piano noir, sacres blancs.

Nos histoires en débâcle, que des miettes. De nouveaux Cortez auront tout emporté. Nos crimes, nos ponts, nos pleurs, nos Gaules de verre et d'acier, les chênes de cent ans, les violons *vaillent que vaillent,* et jusqu'aux restes de la Mesa Verde. Nous ne sommes plus.

Le chant glorieux de ma mère quand elle s'inventait des voyages, d'Itasca jusqu'au Mardi Gras, la coulée.

Son livre de bord, l'annuaire des marées, l'aber de Leathers, son sextant rouillé, les rives de Buras, ses perles d'autrefois et le luth de Domna. Emportés.

Ma chair exposée, *sur le plan nu des sens,* j'attends. Les momies déliées ou le sorcier *criollo* qui arrachera le cœur à cette poupée cassée pour qu'enfin ses yeux cessent de saigner. Au fond des mains, le reflet lisse de mes paumes, ces terres brûlées. Je sais ce qui me guette; j'avance à grands pas, ne me retourne pas.

Il y a les artères assombries d'une ville larguée aux prophéties mais je ne crains pas la mort quand l'histoire brûle de ses derniers feux. Il me suffit de faire quelques pas, à l'aurore, pour voir les squelettes danser, au milieu du tumulte, sur les murs fissurés des cafés.

J'entends encore la voix de ceux qui m'ont bercée au plus profond de ma nuit, leurs grands bras de cuivre, de bois. Arpèges païens sur les côtes, au fond des soirs penchés aux fenêtres, m'arrachant au cul des bouteilles, mes lacs de sang. Comptines vivaces, qui giflent le vent.

Sur les trottoirs et jusqu'au cœur des néons, je scrute les curieux palimpsestes qui les ont guidés dans le parcours inversé du calendrier. Autrefois, en ce point précis de la ville, on s'abreuvait aux chuchotements des morts pour retrouver le réel enfoui de la vie. *« Bois ton vin, cherche l'or, creuse ta lande. »*

Mes jambes dansent ici, dans les eaux glacées de nos ports accrochés aux restes du courant : on attend la mort. Ma tête chante au loin, là-bas, où les poèmes explosent. Le quartier renaît puis s'effondre. Mes rêves plongent dans le trolley des Alibamons.

J'ai envie de m'agenouiller sur les dalles, ne serait-ce qu'un instant, pour lancer vers les cieux couverts de smog une prière pour que reviennent les marins qui traînaient dans le ventre de leurs vaisseaux des refrains tellement parfaits de spleen qu'ils ont troué les siècles pour voguer jusqu'à ces petits matins de cendres et de rien.

Je voudrais prier pour que les bardes viennent chercher les restes d'un rêve dispersé parmi la poussière qui n'en finira jamais de tomber, mais je n'ai pas de voix pour ces choses-là ; il y a des heures où le ciel se noie et les rues sont sans nom.

Une femme évoque Rimbaud dans la langue de Walden ; on dirait une incantation. Ici, les murs pleurent à la nuit tombée parce que trop de gloire pétrifiée et trop de secrets éventrés. « *They sell souls at the crossroads at night. Them women souls.* » Elle me regarde ; mes yeux se taisent. On nous léguera du silence, des temps morts et même des péchés.

Plus tard, elle ira vendre ses ritournelles au Roseland, le temps d'un bal sans magie, et moi je tracerai quelques mots à la craie, sur le trottoir, pendant que les enfants du quartier s'époumoneront à chanter *Gloria*. La pluie se chargera de nous emporter.

Ma mère, un jour, au supermarché : on lui demande où toutes ces boîtes doivent être livrées. Combien pèse le silence quand on n'a qu'une peau d'enfance et ce genre de regards posés sur soi? Ma mère, sans voix ce jour-là. Elle ne savait plus notre nom.

À la maison, au retour, la radio déversait le cœur d'un cow-boy, codas tristes à pleurer. Là où l'on avait promis des deltas lumineux, que des brouillards chimiques. Sa tête pleine de sel et sa main sous les briques, ma mère d'Amérique.

J'ai ouvert un livre en me demandant comment s'épelait le mot *anonyme* au pays de Mark Twain et combien de correspondances avant les bateaux à aubes et la rivière Vermillon. Je me suis endormie sans le repère de minuit, bercée par le grondement de la climatisation.

Un ciel de braises, les digues à panser, et voici que des prêtres fous rendent des oracles; on annonce des siècles nouveaux et dans les banlieues du Nord, aussi, désormais, on apprend à chanter *Deportee.*

Le dérangement est ailleurs, au fond des esprits devenus sans allégeances, dans ces replis de soi où les pluies n'en finissent jamais de tomber, les racines ne tiennent plus et la mémoire s'y noie. Une mère aux marais morts, legs d'empreintes mnésiques.

Un oiseau moqueur fait des vrilles avant de se pendre au plus haut des fils. Au loin, le claquement des doigts sur la peau d'un tambour et trois notes inversées. *Kumbaya*. On dirait le Sud, là-bas, sous les étoiles d'un ciel sans lune.

Elle me tendait les bras, m'emportait, m'apprenait les pas : *two-steps* de la rue Bienville, *jitterbugs* hantés, le *reel* des pauvres et celui des pendus, les cotillons de l'Ohio et même les fandangos de Tezcuco. Du plomb sous les ongles, du mercure au front, tellement folle, disait-on, pire qu'une histoire perdue : « *Ne perds jamais les pas.* »

Elle disait qu'on voyait les étoiles danser, sans le sel. Pas éternels, valses à mille temps. La colombe, le cocher enlacés, Pégase et Persée, Andromède retournée : « *danse, niña, ton histoire est là.* » Elle m'emmenait jusqu'au port, jurait que Lafitte viendrait nous chercher à l'aurore.

J'ai quitté les ruines de ma dernière enfance, sans pleurer. J'ai mis une pervenche presque fanée au fond d'un violon et j'ai psalmodié *the hum of my hummingbird heart* sans bouger les lèvres ni serrer les dents tandis que le tonnerre roulait comme un camion dans le ciel, mécanique à rebours.

Je me suis éveillée un matin de mai une lyre brisée dans les mains au milieu de l'avenue des Amériques qui s'ouvrait comme un canyon devant moi. J'ai ouvert les bras pour attraper le soleil, comme l'on dit du goudron et des plumes.

Trente-deux rues plus bas, un phonographe posé à la fenêtre d'une maison peinte en bleu faisait danser tout le quartier avec un air de *minstrel* impur. Une main gantée de suie s'allongeait parfois pour tourner la manivelle, comme on relance une énigme. La terre ouverte tel un crâne, il me semble, ce jour-là.

Mamie m'emmenait au salon et me jouait *la Malheureuse* au violon, cet air si vieux qu'elle déposait sur mes épaules comme tout le poids du monde. Cette tare de nos veines, depuis la rose au bois.

Elle me disait : «Tu devrais jouer toi aussi, nous ne sommes pas d'ici», me parlait du temps où elle faisait le télégraphe pour les Anglais, me racontait Bloody Creek jusqu'à ce que les mots ne veulent plus rien dire, jusqu'à l'oubli, jusqu'à l'éblouissement. Ses râpements de cordes, à la verticale des sanglots.

Il ne reste presque rien d'hier au retour des vertiges ou alors il ne reste que cela : hier, et l'avenir c'est toujours autrefois. Mamie aimait *la Malheureuse,* follement.

Qu'y puis-je si l'on danse des valses éternelles sous le niveau des rues, bien en deçà du temps? Je vois des voyelles sous l'écume, toutes les fables du Congo enfermées dans les tripes d'un piano mécanique, les légendes d'Angola : des vers aux ordures. Je plonge où d'autres gisent; accroche le vol des voix nègres, mes chorales sans jugement.

Des murmures s'accrochent à mes pas, il y a une ville dans la ville, j'entends les couleurs de son rythme, pulsions teintées de pourpre dans les mi-temps de son pouls, des triolets m'emportent au bout du spectre. C'est l'heure où l'on fond les horloges, je retrouverai à temps mes repos singuliers.

Aujourd'hui encore, je peine à retrouver Bloody Creek sur une carte, dans les annales. Bloody Creek, Annapolis. Bloody Creek, Oriskany. Bloody Creek, Nebraska. J'ai beau refaire tous les parcours, filer les rivières du bout de l'index dans un atlas parsemé de noms de morts, je ne revois plus ce que racontaient les yeux de Mamie quand elle jouait *la Malheureuse.*

Je crois qu'elle disait qu'il me faudrait partir, un jour, monter jusqu'aux Highlands, ces terres muettes qu'elle devinait sous les ponts de nos chansons.

À la hauteur de Poydras, sur la place, le jour s'efface, un autre émerge, curieux théâtre au bout des avenues : des histoires bruissent sous l'usure des enseignes, les heures virent au flou, s'éclairent puis se retournent, *dérivent* jusqu'à se faire translucides. Je n'entends plus les grandes odes électriques. Encore un peu on m'inventerait un récit, ou des mélancolies.

III. CODA POUR LA FORME

(Ellipse)

On ne peut juger de la beauté de la mort que par celle de la vie.

ISIDORE DUCASSE
Poésies

Il me suffit de fermer les yeux pour retrouver les mystères les plus attrayants. Du pléistocène au passage du Nord-Ouest, de l'homme de Kennewick aux dulcimers hantant les terres sortilèges d'une Virginie couverte de poussière, *les saints crient victoire et la mémoire s'envole beyond the blue!*

J'irai creuser une tombe, au réveil, sous le saule où l'aube d'une enfant est tombée au bas du bois. J'y poserai les accords mineurs, la boîte du diable, une fiole de sel, le chant rompu des femmes, là-bas, condamnées au soleil levant.

J'entends l'appel de Gottschalk, les chœurs d'ébène, le roulement des rivières lentes ; au Vieux-Carré on abolit la douleur, le cuivre s'éveille *et l'air m'attend.*

CHANSONS PERDUES

(*Un autre genre de poèmes*)

Ballade profane
(Brim of the Canyon)

There's the stream down under my feet
There's the concrete absence of a street
There's the greater reality of the stone
And there's the light of day turning wrong

Standing at the brim of the canyon alone
I turn my back on those days and those songs
And I hold my breath and I clench my fist
Knowing that the answer will come from the mist

When time has come

There's the fact that I'm a bastard – forlorn
There's this continent where I do not belong
There's this land that's not all people's land
And there you are : rolling free in the sand

Standing at the brim of the canyon alone
I think of those words that were thrown just like stones
And I unfold my fingers and I gaze at my palm
Looking for the road that I'll chose to go down

When time has come

There's a proud eagle spreading it's wings
There's a vain idol tuning his strings
And a nation of clones guarding their nest
And the ghost of a dream that was just sent to rest

Standing at the brim of the canyon alone
I take my mind off this world way too wrong
And I tell the wind and I talk to the skies
Knowing the truth from the echo will rise

When time has come

There's a price to pay for a rhyme
There's a landlord who says he owns time
There's a paradise you're not allowed to enter
There's an insult that'll hit you like a hammer

Standing at the brim of the canyon alone
I travel without lifting my feet off the ground
And I take back the music and I take back the sound
Knowing that my ancestors' song will be sung

When time has come

There's the salt that's been burning my eyes
There's the sand that won't bury my pride
There's a truth : I've no roots, I've no tongue
There's another : that's what made me so strong

Standing at the brim of the canyon alone
I open my eyes to the night that has come
And I see through the darkness and I look at the stars
Knowing their brightness will fade – just like scars

When time has come.

Blues blanc pour Roze

Sur l'air de la Malheureuse, *inspiré du violon fou de ma grand-mère et du* Petit Cordonnier *d'Éluard.*

Nous avions le golfe, le continent
Nous avions le fleuve, les firmaments
Ils ont eu les chaînes, les pieds au champ
Elles ont eu les peines et les enfants

Nous cherchions la terre, ses condiments
Nous voulions le fer, les mines d'argent
Ils ont eu la guerre et le coton
Elles ont eu le sel et les violons

*New York – Montréal
en passant par Wakefield,
novembre 2003 – août 2005.*

Note de l'auteure

Outre une poignée de révisions mineures, cette suite a été entièrement composée *avant* le passage de l'ouragan Katrina sur la Nouvelle-Orléans. Une demi-douzaine de fragments en cours d'écriture se sont noyés avec la cité qui était à la fois leur source d'origine et leur port d'accueil. Si le hasard n'existe pas, il arrive parfois qu'il impose le silence.

Remerciements

À André, Jean Pierre et Jean-François, pour leur présence discrète mais constante ; à Stan, pour le rhum ; à Michel Garneau, pour *le Cordonnier* d'Éluard ; à Anyse, Stéphane et Pascal, pour le karaoké kamikaze et les vieilles chansons ; à Anthony et Vincent pour le pont de Brooklyn ; à Geneviève, pour l'Amérique française au retour. Et à « Luigi », *pour tout.*

L'auteure remercie le Conseil des Arts et des Lettres du Québec pour son soutien financier.

Table

Storyville
a été composé en Minion corps 12
et achevé d'imprimer
sur les presses de Marquis imprimeur
le trentième jour du mois de mars 2007
pour le compte des Éditions du Noroît

Direction littéraire : Paul Bélanger